1960s

Six chord song book

Wise Publications
part of The Music Sales Group
London/New York/Sydney/Paris/Copenhagen/Berlin/Madrid/Tokyo

C000260487

The *Six Chord Songbook* allows even the beginner guitarist to play and enjoy the best rock and pop tunes. With the same 6 chords used throughout the book, you'll soon master playing your favourite hits.

The *Six Chord Songbook* doesn't use music notation. Throughout the book chord boxes are printed at the head of each song; the chord changes are shown above the lyrics. It's left up to you, the guitarist, to decide on a strum rhythm or picking pattern.

You might find the pitch of the vocal line is not always comfortable because it is pitched too high or two low. In that case, you can change the key without learning a new set of chords; simply place a capo behind a suitable fret.

Whatever you do, this *Six Chord Songbook* guarantees hours of enjoyment for guitarists of all levels, as well as providing a fine basis for building a strong repertoire.

Published by:
Wise Publications,
8/9 Frith Street, London W1D 3JB, England.

Exclusive Distributors:
Music Sales Limited,
Distribution Centre, Newmarket Road,
Bury St. Edmunds, Suffolk IP33 3YB, England.
Music Sales Pty Limited,
120 Rothschild Avenue, Rosebery, NSW 2018, Australia.

Order No.AM89976
ISBN 0-7119-3093-7
This book © Copyright 2003 by Wise Publications.

Compiled by Lucy Holliday.
Arranged by James Dean.
Photographs courtesy of London Features International.
Printed in the United Kingdom by
Caligraving Limited, Thetford, Norfolk.

Your Guarantee of Quality
As publishers, we strive to produce every book
to the highest commercial standards.
The music has been freshly engraved and the book
has been carefully designed to minimise awkward page
turns and to make playing from it a real pleasure.
Particular care has been given to specifying acid-free,
neutral-sized paper made from pulps which have not
been elemental chlorine bleached. This pulp is
from farmed sustainable forests and was
produced with special regard for the environment.
Throughout, the printing and binding have been
planned to ensure a sturdy, attractive publication
which should give years of enjoyment.
If your copy fails to meet our high standards,
please inform us and we will gladly replace it.

www.musicsales.com

All Along The Watchtower

Words & Music by
Bob Dylan

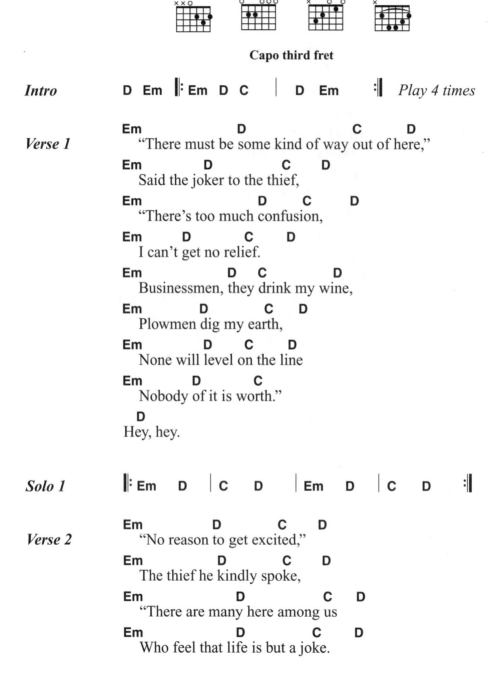

Capo third fret

Intro

D Em ‖: Em D C | D Em :‖ *Play 4 times*

Verse 1

Em   D   C   D
"There must be some kind of way out of here,"

Em   D   C   D
Said the joker to the thief,

Em   D   C   D
"There's too much confusion,

Em   D   C   D
I can't get no relief.

Em   D C   D
Businessmen, they drink my wine,

Em   D   C   D
Plowmen dig my earth,

Em   D   C   D
None will level on the line

Em   D   C
Nobody of it is worth."

D
Hey, hey.

Solo 1

‖: Em   D | C   D | Em   D | C   D :‖

Verse 2

Em   D   C   D
"No reason to get excited,"

Em   D   C   D
The thief he kindly spoke,

Em   D   C   D
"There are many here among us

Em   D   C   D
Who feel that life is but a joke.

cont.

```
Em            D            C                 D
    But you and I, we've been through that
Em          D        C     D
    And this is not our fate,
Em            D          C              D
    So let us not talk falsely now,
Em            D          C
    The hour's getting late."
D
Hey.
```

Solo 2

```
‖: Em    D  │ C    D  │ Em    D  │ C    D  :‖   Play 8 times
```

Verse 3

```
Em  D           C            D
All along the watchtower
Em        D         C     D
    Princes kept the view
Em              D          C            D
    While all the women came and went,
Em        D          C  D
    Barefoot servants, too.  But, huh,
Em     D          C          D
Outside in the cold distance
Em        D          C     D
    A wild cat did growl,
Em             D              C     D
    Two riders were approachin',
          Em     D            C
And the wind began to howl.
D
Hey.
```

Outro

```
‖: Em  D  │ C    D  │ Em  D  │ C    D  :‖

‖: Em  Bm │ C    Bm │ Em  Bm │ C    Bm :‖   Repeat to fade
                                            with vocal ad libs.
```

Barbara Ann

Words & Music by
Fred Fassert

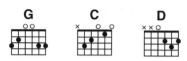

Chorus 1

G
Bar bar bar bar Barbara Ann,

Bar bar bar bar Barbara Ann.

                C
Barbara Ann, take my hand,

G
Barbara Ann.

         D
You got me rockin' and a rollin',

C   G
Rockin' and a reelin' Barbara Ann,

Bar bar bar bar Barbara Ann.

Verse 1

G
Went to a dance looking for romance,

Saw Barbara Ann so I thought I'd take a chance.
        C
Barbara Ann,

        G
Take my hand,

         D
You got me rockin' and a rollin',

C   G
Rockin' and a reelin' Barbara Ann,

Bar bar bar bar Barbara Ann.

Chorus 2   As Chorus 1

Instrumental | G | G | G | G | C | C |

                  | G | G | D | C | G | G |

Verse 2

G
Tried Betty Sue,
N.C.
Tried Betty Sue,

Tried Betty Sue but I knew she wouldn't do,
           C
Barbara Ann,

Bar bar bar bar Barbara Ann,
G
Bar bar bar bar Barbara Ann.
             D
You got me rockin' and a rollin',
C   **G**
Rockin' and a reelin' Barbara Ann,

Bar bar bar bar Barbara Ann.

Chorus 3   As Chorus 1

Blowin' In The Wind

Words & Music by
Bob Dylan

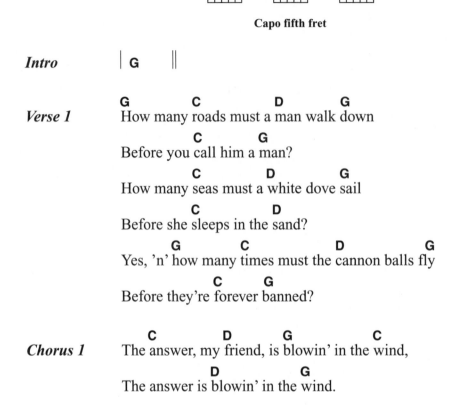

Capo fifth fret

Intro | G ‖

Verse 1
G   C   D   G
How many roads must a man walk down
     C   G
Before you call him a man?
     C   D   G
How many seas must a white dove sail
     C   D
Before she sleeps in the sand?
    G   C   D   G
Yes, 'n' how many times must the cannon balls fly
     C   G
Before they're forever banned?

Chorus 1
    C   D   G   C
The answer, my friend, is blowin' in the wind,
    D   G
The answer is blowin' in the wind.

Link 1 | C D | G C | C D | G ‖

Verse 2

```
      G           C            D              G
Yes, 'n' how many years can a mountain exist
           C              G
Before it is washed to the sea?
                    C            D         G
Yes, 'n' how many years can some people exist
                C        D
Before they're allowed to be free?
      G        C          D            G
Yes, 'n' how many times can a man turn his head,
                  C          G
And pretend that he just doesn't see?
```

Chorus 2   As Chorus 1

Link 2 | C D | G C | C D | G   ‖

Verse 3

```
                   C          D      G
Yes 'n' how many times must a man look up
              C      G
Before he can see the sky?
                  C        D      G
Yes, 'n' how many ears must one man have
              C           D
Before he can hear people cry?
      G        C           D           G
Yes, 'n' how many deaths will it take till he knows
              C           G
That too many people have died?
```

Chorus 3   As Chorus 1

Coda | C D | G C | C D | G   ∎

Coz I Luv You

Words & Music by
Noddy Holder & Jim Lea

Bm   **Em**   **C**

Intro | Bm | Bm ||

Verse 1
Em
I won't laugh at you, when you boo-hoo-hoo
Bm
Coz I luv you.
Em
I can't turn my back on the things you like
Bm
Coz I luv you.
C   **Bm**
I just like the things you do,
C   **Bm**
Don't you change the things you do.

Verse 2
Em
You get me in a spot, that's all the smile you got
Bm
Then I luv you.
Em
You make me out a clown and you put me down
Bm
I still luv you.
C   **Bm**
I just like the things you do,
C   **Bm**
Don't you change the things you do, yeah.

Instrumental   ‖: Em | Em | Bm | Bm   :‖

‖: C | C | Bm | Bm   :‖

Verse 3

Em
When you bite your lip, you're going to flip your thick

Bm
But I luv you.

Em
When we're miles apart, you still reach my heart

Bm
How I luv you.

C   Bm
I just like the things you do,

C   Bm
Don't you change the things you do.

Verse 4

Em
Only time can tell you that I want you,

Bm
Coz I luv you.

Em
Oh, it makes such fun when you're beside my side

Bm
Coz I luv you.

C   Bm
I just like the things you do,

C   Bm
Don't you change the things you do.

Outro

‖: Em | Em | Bm | Bm   :‖
With vocal ad lib.

‖: C | C | Bm | Bm   :‖

‖: Em | Em | Bm | Bm   :‖   *Repeat to fade*

For What It's Worth

Words & Music by
Stephen Stills

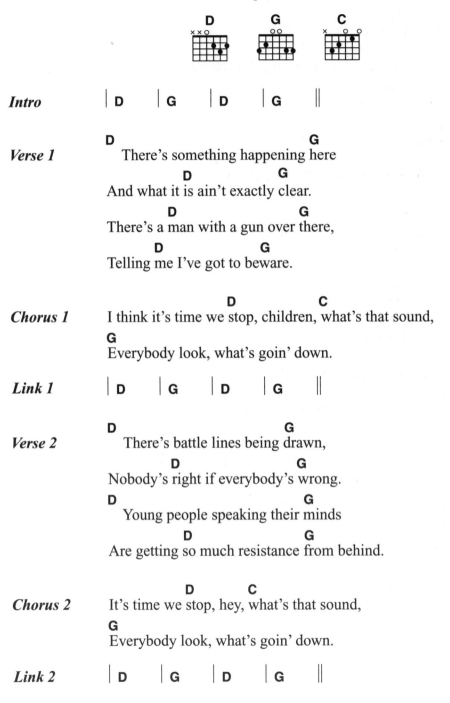

Intro | D | G | D | G ||

Verse 1

D   G
There's something happening here
          D   G
And what it is ain't exactly clear.
             D   G
There's a man with a gun over there,
          D   G
Telling me I've got to beware.

Chorus 1

                            D   C
I think it's time we stop, children, what's that sound,
G
Everybody look, what's goin' down.

Link 1 | D | G | D | G ||

Verse 2

D   G
There's battle lines being drawn,
            D   G
Nobody's right if everybody's wrong.
D   G
Young people speaking their minds
          D   G
Are getting so much resistance from behind.

Chorus 2

                    D   C
It's time we stop, hey, what's that sound,
G
Everybody look, what's goin' down.

Link 2 | D | G | D | G ||

Verse 3

   D   **G**
   What a field day for the heat,
   D   **G**
   A thousand people in the street
       D   **G**
   Singin' songs and carryin' signs,
       D   **G**
   Mostly say "hooray for our side."

Chorus 3

          D   **C**
   It's time we stop, hey, what's that sound,
   G
   Everybody look, what's goin' down.

Link 3 | **D** | **G** | **D** | **G** ||

Verse 4

   D   **G**
   Paranoia strikes deep,
   D   **G**
    Into your life it will creep.
    D   **G**
   It starts when you're always afraid,
       D   **G**
   Step outta line, the man come and take you away.

Chorus 4

          D   **C**
   We better stop, hey, what's that sound,
   G
   Everybody look, what's goin',
          D   **C**
   You better stop, hey, what's that sound,
   G
   Everybody look, what's goin',
          D   **C**
   You better stop, now, what's that sound,
   G
   Everybody look, what's goin',
          D   **C**
   We better stop, children, what's that sound,
   G
   Everybody look, what's goin' down.

Outro | **D** | **C** | **G** | **G** ||
                          Fade out

"Heroes"

Words by David Bowie
Music by David Bowie & Brian Eno

D   G   C   Am   Em

Intro

‖: D | D | G | G :‖

Verse 1

     D   G   D   G
I, I will be king, and you, you will be queen.
        C   D
Though nothing, will drive them away
        Am   Em   D
We can beat them,   just for one day.
         C   G   D
We can be heroes, just for one day.

                     G
And you, you can be mean.
     D   G
And I, I'll drink all the time
          D   G
'Cause we're lovers, and that is a fact.
          D   G
Yes we're lovers, and that is that.
        C   D
Though nothing, will keep us together
          Am Em   D
We could steal time,   just for one day.
         C   G   D
We can be heroes,   for ever and ever.   What d'you say?

Link 1

‖: D | D | G | G :‖

Verse 2

D   G
I, I wish you could swim
      D   G
Like the dolphins, like dolphins can swim.
        C   D
Though nothing, nothing will keep us together,
        Am   Em   D
We can beat them,   for ever and ever
          C   G   D
Oh we can be heroes,   just for one day.

Link 2 ‖: D | D | G | G :‖

Verse 3

D　　　　G
I, I will be king
　　　D　　　　　　G
And you, you will be queen.
　　　　　C　　　　　　　　D
Though nothing will drive them away
　　　　　　　Am　　Em　　　　D
We can be heroes,　just for one day.
　　　　C　　G　　　　　D
We can be us,　just for one day.

Verse 4

D　　　G
I, I can remember (I remember)
D　　　　　　G
Standing by the wall (by the wall)
　　　　　D　　　G
And the guns shot above our heads (over our heads)
　　　　　D　　　　　　　　　　　　G
And we kissed as though nothing could fall (nothing could fall)
　　　　　C　　　　　　　D
And the shame was on the other side.
　　　　　　　Am
Oh we can beat them
Em　　　　　　D
　For ever and ever.
　　　　　　　　C
Then we could be heroes
G　　　　　　D
　Just for one day.

Coda

D　　　　　　G　　D　　　　G
　We can be heroes,　we can be heroes,
D　　　　　　G　　　　　　D
　We can be heroes, just for one day
　　　　　　G
We can be heroes,
　　　C　　　　　　　　　　D
We're nothing, and nothing will help us.
　　　　　　　Am　Em　　　　　　　　D
Maybe we're lying,　then you better not stay.
　　　　　　C　G　　　　D
But we could be safer,　just for one day

　　　　　　　　　　　　Fade out

15

I Fought The Law

Words & Music by
Sonny Curtis

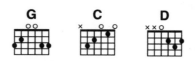

Intro **Drums fade in**

‖: G | C   D | G | D C G :‖ *x2*

Verse 1

G   C   G
Breakin' rocks in the   hot sun
                  D   G
I fought the law and the   law won
                  D   G
I fought the law and the   law won.
              C   G
I needed money 'cause I   had none
                  D   G
I fought the law and the   law won
                  D   G
I fought the law and the   law won.

Chorus 1

   C
I left my baby and it feels so bad
G
Guess my race is run
C
She's the best girl that I ever had
G   D   G
I fought the law and the   law won
                  D   C   G
I fought the law and the . . .

Instrumental

‖: C | C | G | G   :‖ *x3*

| C | C | G | D G | G | D C G |

```
              G                    N.C.
Verse 2       Robbin' people with a    six-gun
              G                   D     G
              I fought the law and the   law won
                                  D     G
              I fought the law and the   law won.
                            C         G
              I lost my girl and I    lost my fun
                                  D     G
              I fought the law and the   law won
                                  D     G
              I fought the law and the   law won.


              C
Chorus 2      I left my baby and it feels so bad
              G
              Guess my race is run
              C
              She's the best girl that I ever had
              G                   D     G
              I fought the law and the   law won
                                  D   C   G
              I fought the law and the . . .
```

```
                                                      x2
Instrumental  ‖: G       | C   D   | G        | D   C   G  :‖
```

```
              G         N.C.
Outro chorus  I fought the law and the   law won,

              I fought the law and the   law won,

              I fought the law and the   law won,

              I fought the law and the   law won,
              G                   D     G
              I fought the law and the   law won,
              G                   D     G
              I fought the law and the   law won,
              G                   D     G
              I fought the law and the   law won,
              G                       D C G
              I fought the law and the . . .
```

Jolene

Words & Music by
Dolly Parton

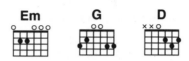

Em   **G**   **D**

Capo fifth fret

Intro | Em | Em | Em | Em ||

Chorus 1

      Em   G   D   Em
Jolene, Jolene, Jolene, Jolene
      D   Em
I'm begging of you please don't take my man.
      G   D   Em
Jolene, Jolene, Jolene, Jolene
D   Em
Please don't take him just because you can.

Verse 1

      Em   G
Your beauty is beyond compare,
      D   Em
With flaming locks of auburn hair,
      D   Em
With iv'ry skin and eyes of em'rald green.
           G
Your smile is like a breath of spring,
      D   Em
Your voice is soft like summer rain,
      D   Em
And I cannot compete with you, Jolene.

Verse 2

      Em   G
He talks about you in his sleep
           D   Em
And there's nothing I can do to keep
      D   Em
From crying when he calls your name, Jolene.

cont.

                    G
And I can eas'ly understand

        D   **Em**
How you could eas'ly take my man

          D   **Em**
But you don't know what he means to me, Jolene.

Chorus 2

        Em   **G**   **D**   **Em**
Jolene, Jolene, Jolene, Jolene

        D   **Em**
I'm begging of you please don't take my man.

            G   **D**   **Em**
Jolene, Jolene, Jolene, Jolene

D   **Em**
Please don't take him just because you can.

Verse 3

Em   **G**
You could have your choice of men,

        D   **Em**
But I could never love again,

D   **Em**
He's the only one for me, Jolene.

              G
I had to have this talk with you,

        D   **Em**
My happiness depends on you

          D   **Em**
And whatever you decide to do, Jolene.

Chorus 3

        Em   **G**   **D**   **Em**
Jolene, Jolene, Jolene, Jolene

        D   **Em**
I'm begging of you please don't take my man.

            G   **D**   **Em**
Jolene, Jolene, Jolene, Jolene

D   **Em**
Please don't take him even though you can.

Jolene, Jolene.

Outro   ‖: Em | Em | Em | Em   :‖   *Repeat to fade*

Knockin' On Heaven's Door

Words & Music by
Bob Dylan

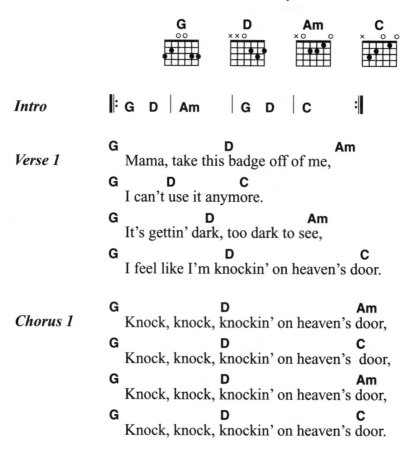

Intro ‖: G D | Am | G D | C   :‖

Verse 1

G   D   Am
Mama, take this badge off of me,

G   D   C
I can't use it anymore.

G   D   Am
It's gettin' dark, too dark to see,

G   D   C
I feel like I'm knockin' on heaven's door.

Chorus 1

G   D   Am
Knock, knock, knockin' on heaven's door,

G   D   C
Knock, knock, knockin' on heaven's door,

G   D   Am
Knock, knock, knockin' on heaven's door,

G   D   C
Knock, knock, knockin' on heaven's door.

Verse 2

G   D   Am
Mama, put my guns in the ground,

G   D   C
I can't shoot them anymore.

G   D   Am
That long black cloud is comin' down,

G   D   C
I feel like I'm knockin' on heaven's door.

Chorus 2

G   D   Am
Knock, knock, knockin' on heaven's door,

G   D   C
Knock, knock, knockin' on heaven's door,

G   D   Am
Knock, knock, knockin' on heaven's door,

G   D   C
Knock, knock, knockin' on heaven's door.

Coda | G D | Am | G D | C ||

Fade out

Lady D'Arbanville

Words & Music by
Cat Stevens

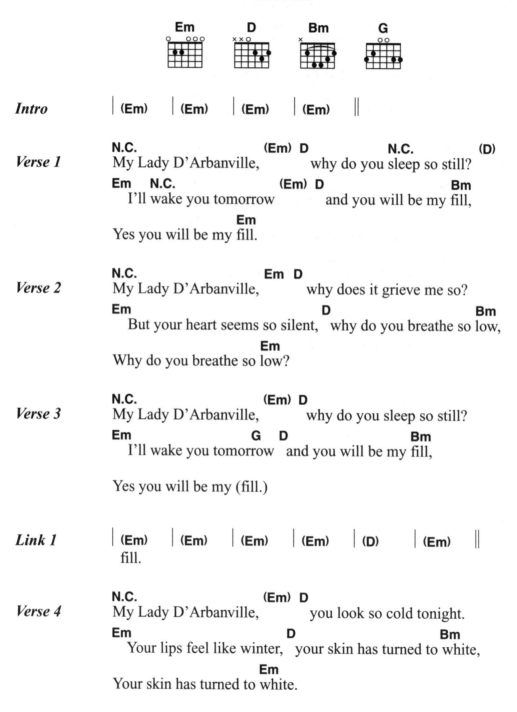

Intro | (Em) | (Em) | (Em) | (Em) ||

Verse 1

N.C.   (Em) D   N.C.   (D)
My Lady D'Arbanville,   why do you sleep so still?

Em   N.C.   (Em) D   Bm
  I'll wake you tomorrow   and you will be my fill,

               Em
Yes you will be my fill.

Verse 2

N.C.   Em D
My Lady D'Arbanville,   why does it grieve me so?

Em   D   Bm
  But your heart seems so silent, why do you breathe so low,

               Em
Why do you breathe so low?

Verse 3

N.C.   (Em) D
My Lady D'Arbanville,   why do you sleep so still?

Em   G D   Bm
  I'll wake you tomorrow and you will be my fill,

Yes you will be my (fill.)

Link 1 | (Em) | (Em) | (Em) | (Em) | (D) | (Em) ||
fill.

Verse 4

N.C.   (Em) D
My Lady D'Arbanville,   you look so cold tonight.

Em   D   Bm
  Your lips feel like winter, your skin has turned to white,

             Em
Your skin has turned to white.

Verse 5   As Verse 3

Verse 6
Em   D
La la la la la la, la la la la la la,
Em   G D   Bm
La la la la la la-ah, la la la la la la,

La la la la la (la.)

Link 2 | **(Em)** | **(Em)** |
   la.

Verse 7
N.C.   Em D
My Lady D'Arbanville,   why do you greet me so?
Em   D   Bm
But your heart seems so silent, why do you breathe so low,
                      Em
Why do you breathe so low?

Verse 8
N.C.   Em D
I loved you, my lady,   'though in your grave you lie,
Em   G   D   Bm
I'll always be with you, this rose will never die,
                 Em
This rose will never die.

Verse 9
N.C.   Em D
I loved you, my lady,   'though in your grave you lie,
Em   G   D   Bm
I'll always be with you, this rose will never die,

This rose will never (die.)

Coda | **(Em)** | **(Em)** | **(Em)** | **(Em)** | **Em**   ‖
   die.

Love Me Do

Words & Music by
John Lennon & Paul McCartney

G   C   D

Intro | G | C | G | C | G | C | G | G ||

Chorus 1

G   C
Love, love me do,

   G   C
You know I love you.

    G   C
I'll always be true,

So please ____

N.C.   G   C   G   C
Love me do, __ oh, love me do.

Chorus 2

G   C
Love, love me do,

   G   C
You know I love you.

    G   C
I'll always be true,

So please ____

N.C.   G   C   G   C
Love me do, __ oh, love me do.

Bridge

D
Someone to love,

C   G
Somebody new.

D
Someone to love,

C   G
Someone like you.

Chorus 3

G   C
Love, love me do,

  G   C
You know I love you.

  G   C
I'll always be true,

So please ____

N.C. **G** **C** **G**
Love me do, ___ oh, love me do.

Solo 𝄆 **D** | **D** | **C** | **G** 𝄇

   | **G** | **G** | **G** | **G** **(D)** ‖

Chorus 4

G   C
Love, love me do,

  G   C
You know I love you.

  G   C
I'll always be true,

So please ____

N.C. **G** **C** **G**   **C**
Love me do, ___ oh, love me do.

    G   C
𝄆 Yeah, love me do,

  G   C
Oh, love me do. 𝄇 *Repeat to fade*

Madame George

Words & Music by
Van Morrison

G   C   D

Intro   ‖: G | G | C | D :‖

Verse 1

          G
Down on Cyprus Avenue
C   **D**   **G**
  With a childlike vision slipping into view.
C   **D**   **G**
  Clicking, clacking of the high heeled shoe,
C   **D**   **G**   **C**
  Ford & Fitzroy, Madame George.
D   **G**
  Marching with the soldier boy behind,
C   **D**   **G**
  He's much older now with hat on drinking wine.
C   **D**   **G**
  And that smell of sweet perfume comes drifting through
C   **D**   **G**   **C**
  Oh, the cool night air like Shalimar.

Verse 2

  D   **G**
  And outside they're making all the stops,
C   **D**   **G**
  The kids out in the street collecting bottle tops.
C D   **G**   **C**
  Gone for cigarettes and matches in the shops,
     D   **G**
Happy taken Madame George.
C   **D**   **G**
  Whoa, that's when you fall,
  C **D**   **G**
Whoa, that's when you fall,
C D   **G**   **C**
  Yeah, that's when you fall.

Verse 3

```
D       G
When you fall into a trance
C        D        G
A-sitting on a sofa playing games of chance,
C        D        G
With your folded arms and history books you glance
C        D        G       C
Into the eyes of Madame George.
D       G
And you think you found the bag,
C        D                    G
You're getting weaker and your knees begin to sag,
C        D        G
In the corner playing dominoes in drag,
C            D          G
The one and only Madame George.
```

Verse 4

```
C          D     G
And then from outside the frosty window raps,
C          D                    G
She jumps up and says, "Lord, have mercy, I think that it's the cops."
C  D        G
And immediately drops everything she gots,
C  D              G       C
Down into the street below.
D        G
And you know you gotta go
C        D            G
On that train from Dublin up to Sandy Row,
C        D        G
Throwing pennies at the bridges down below.
C          D            G
And the rain, hail, sleet, and snow,
C    D            G
Say goodbye to Madame George,
C  D                  G
Dry your eye for Madame George,
C        D          G
Wonder why for Madame George.
C    D   G   C
Whoa.____
```

Verse 5

```
       D       G
       And as you leave the room is filled with music,
       C               D           G
       Laughing, music,  dancing, music  all around the room.
       C   D           G
       And all the little boys come around,
               C             D G     C
       Walking away from it all,   so cold.
       D               G
       And as you're about to leave
       C                   D           G               C
       She jumps up and says, "Hey love,  you forgot your gloves."
       D       G                                               C
       And the love that loves the love that loves the love that loves the love,
                           D                       G
       That loves to love, the love that loves to love, the love that loves,
```

Outro

```
         C     D           G
   ‖:    To say goodbye to Madame George,
   C   D           G
   Dry your eye for Madame George,
   C         D     G
   Wonder why for Madame George,
   C   D               G
   Dry your eye for Madame George.   :‖   Repeat, vocal ad lib to fade
```

Massachusetts

Words & Music by
Barry Gibb, Maurice Gibb & Robin Gibb

Intro | G | G | G | G ‖

Verse 1

G   Am C G
Feel I'm goin' back to Massachusetts,
          Am C   G
Something's telling me I must go home.
                  C
And the lights all went out in Massachusetts
      G   D   G D
The day I left her standing on her own.

Verse 2

G   Am C   G
Tried to hitch a ride to San Francisco,
         Am C G
Gotta do the things I wanna do.
                 C
And the lights all went out in Massachusetts,
        G   D   G   D
They brought me back to see my way with you.

Verse 3

G   Am C G
Talk about the life in Massachusetts,
         Am C   G
Speak about the people I have seen.
                 C
And the lights all went out in Massachusetts
      G   D
And Massachusetts is one place I have (seen.)
G Am   C G   Am   C   G
I will remember Massachusetts...
 seen.   (I will remember Massachusetts.)
   G Am   C G   Am   C   G
‖: I will remember Massachusetts...
        (I will remember Massachusetts.) :‖

Repeat to fade

Make Me Smile
(Come Up And See Me)

Words & Music by
Steve Harley

D   C   G   Am   Bm   Em

Capo fifth fret

Intro | (D) | (D) | (D) ||

Verse 1

N.C.   C   G   D
You've done it all: you've broken every code ____
C   G   D
And pulled the rebel to the floor.
               C   G   D
You've spoilt the game, no matter what you say ____
C   G   D
For only metal, what a bore. ____
C   G
Blue eyes,   blue eyes,
C   G   D
How can you tell so many lies?

Chorus 1

Am   C   G   D
Come up and see me, make me smile, ____
Am   C   G   D
I'll do what you want, running wild. ____

Verse 2

N.C.   C   G   D
There's nothing left, all gone and run away.
C   G   D
Maybe you'll tarry for a while.
            C G   D
It's just a test, a game for us to play,
C   G   D
Win or lose, it's hard to smile.
C   G
Resist, resist:
C   G   D
It's from yourself you'll have to hide.

Chorus 2

    Am   **C**   **G**   **D**
Come up and see me, to make me smile, ____

    Am   **C**   **G**   **D**   **N.C.**
I'll do what you want, running wild. ____

Guitar solo

C	Bm	C	Em	Bm	Bm
D	D	Am	C	G	D
Am	C	G	D	D	

Verse 3

N.C.   **C**   **G**   **D**
There ain't no more: you've taken everything

C   **G**   **D**
From my belief in Mother Earth

          C   **G**   **D**
Can you ignore my faith in everything?

C   **G**   **D**
  'Cause I know what faith is and what it's   worth.

C   **G**
  Away, away,

C   **G**   **D**   **Am**
  And don't say   maybe you'll try, ____ oh, oh

Chorus 3

               C   **G**   **D**
To come up and see me, to make me smile, ____

Am   **C**   **G**   **D**   **N.C.**
  I'll do what you want, just running wild. ____

Link 1

| C | G | C | G | D | D ||

Chorus 4

Am   **C**   **G**   **D**
Come up and see me, make me smile, ____

Am   **C**   **G**   **D**
I'll do what you want, running wild. ____

Link 2

| C | G | C | G | D | D ||

Chorus 5

  Am   **C**   **G**   **D**
‖: Come up and see me, to make me smile, ____

  Am   **C**   **G**   **D**
  I'll do what you want, running wild. ____ :‖ *Repeat to fade*

(Marie's The Name) His Latest Flame

Words & Music by
Doc Pomus & Mort Shuman

G	Em	C	D

Intro

| G | Em | G | Em | G | Em ‖

Verse 1

          G   Em   G
A very old friend came by today,
Em   G   Em
  'Cos he was telling everyone in town
G   Em
Of the love that he'd just found,
           C   D
And Marie's the name
           G   Em | G | Em ‖
Of his latest flame.

Verse 2

            G   Em   G
He talked and talked and I heard him say
Em   G   Em
  That she had the longest, blackest hair,
    G   Em
The prettiest green eyes anywhere,
           C   D
And Marie's the name
           G   Em | G | Em ‖
Of his latest flame.

Bridge 1

     D   **C**   **D**   **C**
Though I smiled the tears inside were burning,

   D   **C**   **D** **C**
I wished him luck and then he said goodbye.

 D   **C**   **D**   **C**
He was gone but still his words kept returning,

     D   **C**   **G** **Em** | **G** | **Em** ‖
What else was there for me to do but cry.

Verse 3

             G   **Em**   **G**
Would you believe that yesterday

Em   **G**   **Em**
   This girl was in my arms and swore to me

G   **Em**
She'd be mine eternally,

           C   **D**
And Marie's the name

        G   **Em** | **G** | **Em** ‖
Of his latest flame.

Bridge 2   As Bridge 1

Verse 4

             G   **Em**   **G**
Would you believe that yesterday

Em   **G**   **Em**
   This girl was in my arms and swore to me

G   **Em**
She'd be mine eternally,

           C   **D**
And Marie's the name

        G   **Em** | **G** |
Of his latest flame.

Coda

  ‖: **Em**   **C**   **D**
     Yeah Marie's the name

          G
Of his latest flame. :‖   *Repeat to fade*

Not Fade Away

Words & Music by
Charles Hardin & Norman Petty

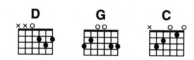

Intro |D G D | D G D | D G D | D G D ‖

Verse 1
D   G | G C G |
I wanna tell you how it's gonna be,
D   G D | D G D |
You're gonna give your love to me,
D   G | G D G ‖
I'm gonna love you night and day.

Chorus 1
D   G D | D G D |
Well, love is love and not fade a - way,
D   G D | D G D ‖
Well, love is love and not fade a - way.

Verse 2
D   G | G C G |
And my love is bigger than a Cadillac,
D   G D | D G D |
I'll try to show it if you drive me back.
D   G | G C G |
Your love for me has got to be real,
D   G D | D G D |
Before you'd have noticed how I   feel.

Chorus 2
D   G D | D G D |
Love real not fade a - way,
D   G D | D G D |
Well love real not fade a - way,   yeah!

Instrumental |G C G | G C G | D G D | D G D |

|G C G | G C G | D G D | D G D | D G D ‖

Verse 3

D   G | G   C G |
I wanna tell you how it's gonna be,

D   G D | D   G D |
You're gonna give your love to me,

D   G | G   C G ‖
Love that lasts more than one day.

Chorus 3

            D   G D | D   G D |
Well love is love and not fade a - way,

            D   G D | D   G D |
Well love is love and not fade a - way,

      G   D | G   D |
Well love is love and not fade a - way,

      D   G   D | D G D G D |
Well love is love and not fade a - way,

            G   D   G D
Not fade away.

                   Fade out

Redemption Song

Words & Music by
Bob Marley

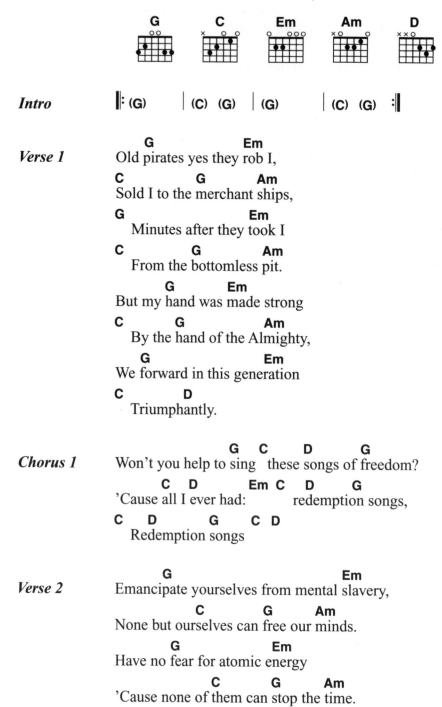

G   C   Em   Am   D

Intro
‖: (G) | (C) (G) | (G) | (C) (G) :‖

Verse 1

```
      G             Em
Old pirates yes they rob I,
C         G          Am
Sold I to the merchant ships,
G                 Em
   Minutes after they took I
C           G          Am
   From the bottomless pit.
        G       Em
But my hand was made strong
C        G          Am
   By the hand of the Almighty,
   G              Em
We forward in this generation
C        D
   Triumphantly.
```

Chorus 1

```
            G   C    D       G
Won't you help to sing   these songs of freedom?
        C   D      Em C   D     G
'Cause all I ever had:       redemption songs,
C   D        G     C D
   Redemption songs
```

Verse 2

```
      G                        Em
Emancipate yourselves from mental slavery,
          C       G     Am
None but ourselves can free our minds.
      G               Em
Have no fear for atomic energy
            C       G     Am
'Cause none of them can stop the time.
```

cont.

        G   **Em**
How long shall they kill our prophets
             C   **G**   **Am**
While we stand aside and look?
        G   **Em**
Some say it's just a part of it,
         C   **G**   **D**
We've got to fulfill the Book.

Chorus 2

                    G   **C** **D**   **G**
Won't you help to sing   these songs of freedom?
          C   **D**   **Em** **C** **D**   **G**
'Cause all I ever had: re - demption songs,
 C   **D**   **G**   **C** **D**   **G**   **C** **D**
   Redemption songs, redemption songs.

Solo

𝄆 **Em** | **C**   **D** | **Em** | **C**   **D** 𝄇

Verse 3

        G   **Em**
Emancipate yourselves from mental slavery,
            C   **G**   **Am**
None but ourselves can free our minds.
        G   **Em**
Have no fear for atomic energy
            C   **G**   **Am**
'Cause none of them can stop the time.
        G   **Em**
How long shall they kill our prophets
         C   **G**   **Am**
While we stand aside and look?
        G   **Em**
Some say it's just a part of it,
         C   **G**   **D**
We've got to fulfill the Book.

Chorus 3

                    G   **C** **D**   **G**
Won't you help to sing,   these songs of freedom?
          C   **D**   **Em** **C** **D**   **G**
'Cause all I ever had: redemption songs.
C   **D**   **Em** **C** **D**   **Em**
All I ever had: redemption songs,
C   **D**   **G**   **C** **D**   **G**
   These songs of freedom, songs of freedom.

Coda | **C** **G** | **Am** | **Am** | **D** | **D**   ‖

The Sound Of Silence

Words & Music by
Paul Simon

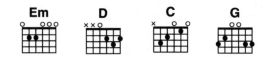

Intro | **Em**   ‖

Verse 1

Em   **D**
   Hello, darkness, my old friend,
                              Em
I've come to talk with you again,
                    C   **G**
Because a vision softly creeping
                    C   **G**
Left its seeds while I was sleeping
          C
And the vision
                       G
That was planted in my brain
            D   **Em**
Still remains
G   **D**   **Em**
   Within the sound of silence.

Verse 2

N.C.   **D**
In restless dreams I walked alone
                  Em
Narrow streets of cobblestone.
                C   **G**   **D**   **G**
Beneath the halo of a street lamp
                C   **G**   **D**   **G**
I turned my collar to the cold and damp
          C
When my eyes were stabbed
                G
By the flash of a neon light

                  D   **Em**
That split the night
G   **D**   **Em**
  And touched the sound of silence.

Verse 3

                      D
And in the naked light I saw
                         Em
Ten thousand people, maybe more:
               C   **G**   **D G**
People talking without speaking,
               C   **G**   **D G**
People hearing without listening,
         C   **G**
People writing songs that voices never share
            D   **Em**
And no-one dare
G   **D**   **Em**
  Disturb the sound of silence.

Verse 4

                     D
"Fools," said I, "You do not know
                 Em
Silence like a cancer grows.
               C   **G**
Hear my words that I might teach you,
               C   **G**
Take my arms that I might reach you."
       C   **G**   **D**   **Em**
But my words like silent raindrops fell,
   G   **D**   **Em**
And echoed in the wells of silence.

Verse 5

                     D
And the people bowed and prayed
               Em
To the neon god they made.
               C   **G**   **D G**
And the sign flashed out its warning
              C   **G**   **D G**
In the words that it was forming,
               C
And the sign said, 'The words of the prophets
               G
Are written on the subway walls
             D   **Em**
And tenement halls,
   G   **D**   **Em**
And whispered in the sounds of silence.'

Take It Easy

Words & Music by
Jackson Browne & Glenn Frey

G   C   D   Em   Am

Tune guitar slightly flat

Intro   ‖: G | G | C | D :‖ G | G ‖

Ver.
            G
Well I'm a-runnin' down the road tryin' to loosen my load,
               D   C
I've got seven women on my mind.
G   D
Four that wanna own me, two that wanna stone me,
    C   G
One says she's a friend of mine.

Chorus 1
        Em   C G
Take it easy, take it ea - sy,
             Am   C   Em
Don't let the sound of your own wheels drive you crazy.
         C   G   C   G
Lighten up while you still can, don't even try to understand,
         Am   C   G
Just find a place to make your stand and take it easy.

| G | G ‖

Verse 2
            G
Well I'm a-standin' on a corner in Winslow, Arizona,
               D   C
And such a fine sight to see;
          G   D
It's a girl, my Lord, in a flat-bed Ford,
        C   G
Slowin' down to take a look at me.

Chorus 2

        Em D   C   G
Come on, baby,   don't say may - be,

        Am   C   Em
I gotta know if your sweet love is gonna save me.

       C   G   C   G
We may lose and we may win, though we will never be here again,

        Am   C
So open up, I'm climbin' in,

        G
So take it easy.

Instrumental | G | G | G D | C | G | D | C | G |

                     | Em | D | C | G | Am | C | Em | Em D ‖

Verse 3

              G
Well, I'm a-runnin' down the road, tryin' to loosen my load,

                  D   Am
Got a world of trouble on my mind.

    G   D
Lookin' for a lover who won't blow my cover,

       C   G
She's so hard to find.

Chorus 3

        Em   C G
Take it easy, take it ea - sy,

          Am   C   Em
Don't let the sound of your own wheels make you crazy.

          C   G   C   G
Come on, ba - by, don't say may - be,

        Am   C
I gotta know if your sweet love

        G
Is gonna save me.

Outro   ‖: C | C | G | G   :‖   *Play 4 times*
          With vocal ad lib.

        | C | C | Em ‖

Under The Boardwalk

Words & Music by
Art Resnick & Kenny Young

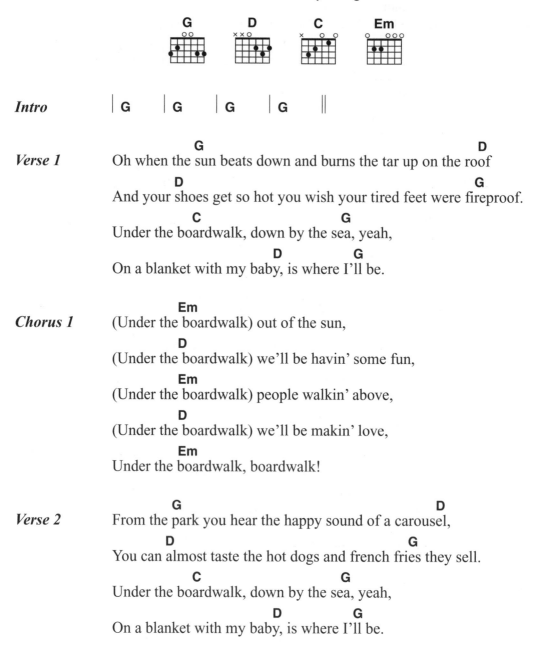

Intro | G | G | G | G ||

Verse 1

             G   D
Oh when the sun beats down and burns the tar up on the roof

        D   G
And your shoes get so hot you wish your tired feet were fireproof.

     C   G
Under the boardwalk, down by the sea, yeah,

                  D   G
On a blanket with my baby, is where I'll be.

Chorus 1

        Em
(Under the boardwalk) out of the sun,

        D
(Under the boardwalk) we'll be havin' some fun,

        Em
(Under the boardwalk) people walkin' above,

        D
(Under the boardwalk) we'll be makin' love,

        Em
Under the boardwalk, boardwalk!

Verse 2

       G   D
From the park you hear the happy sound of a carousel,

        D   G
You can almost taste the hot dogs and french fries they sell.

     C   G
Under the boardwalk, down by the sea, yeah,

                  D   G
On a blanket with my baby, is where I'll be.

Chorus 2

     Em
(Under the boardwalk) out of the sun,

     D
(Under the boardwalk) we'll be havin' some fun,

     Em
(Under the boardwalk) people walkin' above,

     D
(Under the boardwalk) we'll be makin' love,

     Em
Under the boardwalk, boardwalk!

Instrumental | **G** | **G** | **D** | **D** |

     | **D** | **D** | **G** | **G** ||

Verse 3

        C   **G**
Under the boardwalk, down by the sea, yeah,

                D   **G**
On a blanket with my baby, is where I'll be.

Chorus 3

     Em
(Under the boardwalk) out of the sun,

     D
(Under the boardwalk) we'll be havin' some fun,

     Em
(Under the boardwalk) people walkin' above,

     D
(Under the boardwalk) we'll be fallin' in love,

     Em
Under the boardwalk, boardwalk!

Waterloo

Words & Music by Benny Andersson,
Björn Ulvaeus & Stig Anderson

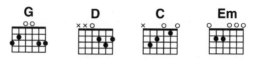

Capo fifth fret

Intro
| G | G | G | G ||

Verse 1
       G   **D**   **C**   **D**
My, my, at Waterloo Napoleon did surrender,
       G   **D**   **C**   **D**   **Em**
Oh yeah, and I have met my dest-i-ny in quite a similar way.

The history book on the shelf
Em   **D**
Is always repeating itself. _____

Chorus 1
     G   **C**
Waterloo, I was defeated, you won the war.
     D   **G**   **D**
Waterloo, promise to love you for evermore.
     G   **C**
Waterloo, couldn't escape if I wanted to.
     D   **G**
Waterloo, knowing my fate is to be with you.
                    D   **G**
Wa, Wa, Wa, Wa, Waterloo, finally facing my Waterloo.

| G | G | G ||

Verse 2
       G   **D**   **C**   **D**
My, my, I tried to hold you back but you were stronger,
             G   **D**   **C**   **D**   **Em**
Oh yeah, and now it seems my only   chance is givin' up the fight.

And how could I ever refuse?
Em   **D**
I feel like I win when I lose. _____

Chorus 2

G   C
Waterloo, I was defeated, you won the war.

D   G   D
Waterloo, promise to love you for evermore.

G   C
Waterloo, couldn't escape if I wanted to.

D   G
Waterloo, knowing my fate is to be with you.

         D   G
Wa, Wa, Wa, Wa, Waterloo, finally facing my Waterloo.

Link

        Em
So how could I ever refuse?

         D
I feel like I win when I lose.

Outro

G   C
Waterloo, couldn't escape if I wanted to.

D   G
Waterloo, knowing my fate is to be with you.

         D   G
𝄆 Wa, Wa, Wa, Wa, Waterloo, finally facing my Waterloo.

         D
Wa, Wa, Wa, Wa, Waterloo,

         G
Knowing my fate is to be with you. 𝄇 *Repeat to fade*

When Will I Be Loved?

Words & Music by
Phil Everly

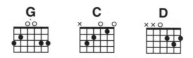

Capo fourth fret

Intro |G |G   C |G |G   C |

Chorus 1
G   C
  I've been made blue,
G   C
  I've been lied to,
G   C   G |C   D |
When will I be loved?
G   C
  I've been turned down,
G   C
  I've been pushed 'round,
G   C   G |G |
When will I be loved?

Verse 1
C   D   C   G
When I meet a new girl,   that I want for mine,
  C   D
She always breaks my heart in two,
  C   D
It happens every time.

Chorus 2
G C
I've been cheated,
G   C
  Been mistreated,
G   C   G |G |
When will I be loved?

Verse 2

```
        C               D       C                      G
    When I meet a new girl,    that I want for mine,
          C               D
    She always breaks my heart in two,
           C             D
    It happens every time.
```

Chorus 3

```
    G   C
    I've been cheated,
    G       C
      Been mistreated,
    G       C       G    | G        |
      When will I be loved?
```

Outro

```
    G             C   G    | G        |
      When will I be loved?
```

Repeat to fade

Relative Tuning

The guitar can be tuned with the aid of pitch pipes or dedicated electronic guitar tuners which are available through your local music dealer. If you do not have a tuning device, you can use relative tuning. Estimate the pitch of the 6th string as near as possible to E or at least a comfortable pitch (not too high, as you might break other strings in tuning up). Then, while checking the various positions on the diagram, place a finger from your left hand on the:

5th fret of the E or 6th string and **tune the open A** (or 5th string) to the note (A)

5th fret of the A or 5th string and **tune the open D** (or 4th string) to the note (D)

5th fret of the D or 4th string and **tune the open G** (or 3rd string) to the note (G)

4th fret of the G or 3rd string and **tune the open B** (or 2nd string) to the note (B)

5th fret of the B or 2nd string and **tune the open E** (or 1st string) to the note (E)

E or 6th	A or 5th	D or 4th	G or 3rd	B or 2nd	E or 1st

Head

Nut

1st Fret

2nd Fret

3rd Fret

4th Fret

5th Fret

Reading Chord Boxes

Chord boxes are diagrams of the guitar neck viewed head upwards, face on as illustrated. The top horizontal line is the nut, unless a higher fret number is indicated, the others are the frets.

The vertical lines are the strings, starting from E (or 6th) on the left to E (or 1st) on the right.

The black dots indicate where to place your fingers.

Strings marked with an O are played open, not fretted. Strings marked with an X should not be played.

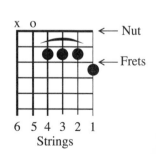

The curved bracket indicates a 'barre' – hold down the strings under the bracket with your first finger, using your other fingers to fret the remaining notes.